MANUEL PRATIQUE DE LECTURE

horizontale et verticale

ESCHIG

Gravure informatique des exemples musicaux
et mise en page par Jay Alan Miller.

M.E. 9517

TABLE DES MATIÈRES

Avant-propos 5

Pourquoi apprendre à lire dans des clés différentes ? (6)

1ère partie :
ÉTUDE PROGRESSIVE DES NOTES DANS UNE DES SEPT CLÉS 8

Précision (8)

Tableau des noms des notes sur les lignes dans chacune des sept clés (8)

Tableau des noms des notes dans les interlignes dans chacune des sept clés (10)

Rapidité (12)

1. Sur les lignes (13)
2. Dans les interlignes (14)
3. Mélange lignes et interlignes (15)
4. Lignes supplémentaires (18)

2e partie :
LECTURE SIMULTANÉE DE LA CLÉ DE SOL ET DE LA CLÉ DE FA 24

Simultanéité (24)

1. Étude des notes comprises entre do et sol en clé de sol et en clé de fa et à différentes octaves (24)

a) sur 3 notes (24)

b) sur 5 notes (26)

c) récapitulation (29)

2. Étude des notes comprises entre sol et ré en clé de sol et en clé de fa et à différentes octaves (30)
a) sur trois notes (30)
b) sur cinq notes (32)
c) récapitulation (35)
3. Étude des notes graves et aiguës en clé de fa (37)
a) étude des notes graves de la clé de fa (37)
b) étude des notes aiguës de la clé de fa (38)
c) récapitulation générale (39)

3e partie :
LECTURE VERTICALE.. 40
1. Deux notes (40)
a) sur les lignes (40)
b) dans les interlignes (40)
c) mélange lignes et interlignes (41)
2. Trois notes (43)
a) sur les lignes (43)
b) dans les interlignes (44)
c) mélange lignes et interlignes (44)
3. Quatre notes (45)
a) sur les lignes (45)
b) dans les interlignes (46)
c) mélange lignes et interlignes (46)

AVANT-PROPOS

Une oreille subtile, un rythme précis, une lecture rapide sont indispensables à qui veut être bon musicien. Il existe nombre de manuels dont les auteurs se proposent de former d'habiles lecteurs. Cependant, nous ne croyons pas que les trois conditions essentielles - **précision, rapidité et simultanéité** - aient été considérées dans un même ouvrage. La lecture seule sera traitée ici car il est préférable d'isoler toutes les difficultés pour les mieux vaincre.

Ce manuel est divisé en trois parties :

- 1ère partie - Étude progressive des notes placées **sur les lignes** puis **dans les interlignes,** étude progressive des notes placées **sur** et **entre les lignes supplémentaires** (par exemple en clé de sol, du *mi* placé sous la 3e ligne en dessous de la portée au *sol* placé sur la 4e ligne au-dessus de la portée).
- 2e partie - Exercices de **lecture simultanée en clé de sol et en clé de fa,** nécessaire pour l'étude du piano.
- 3e partie - Préparation à la **lecture verticale.**

On sera peut-être surpris de voir dans ces exercices l'intervalle presque toujours assez grand qui sépare chaque note de celle qui la précède et de celle qui la suit. Ces textes étant simplement destinés à faire acquérir la virtuosité de l'œil et à favoriser la création d'automatismes visuels, il est nécessaire d'isoler chaque note uniquement par la place qu'elle occupe et non pas en la comparant à la précédente et en calculant le nombre de notes qui les sépare. Ce procédé, trop souvent employé, est une des principales causes de la lecture lente et du déchiffrage pénible.

Tous les différents modes d'entraînement que nous préconisons pourront être exécutés sous le contrôle du métronome et avec des progressions de vitesse de plus en plus grandes.

Pourquoi apprendre à lire dans des clés différentes ?

Pour **noter la totalité des sons** chantés par les voix humaines (ou incluses dans les 88 notes du piano d'aujourd'hui), du registre le plus grave au plus aigu, il faut faire appel à une **portée générale de onze lignes,** elle-même complétée de plusieurs lignes supplémentaires.

Afin de **faciliter la lecture,** on a dû avoir recours à des repères que l'on nomme « **clés** », positionnées sur une ligne spécifique de la portée.

La sixième ligne (la ligne centrale) de cette portée de onze lignes a été attribuée au do (ut), la huitième ligne au sol et la quatrième ligne au fa.

Les symboles représentant ces clés (𝄞, 𝄡 et 𝄢) sont le résultat de la transformation des lettres de l'alphabet **G, C** et **F,** qui représentaient dans la notation ancienne les notes **sol, do** et **fa.**

La portée de onze lignes

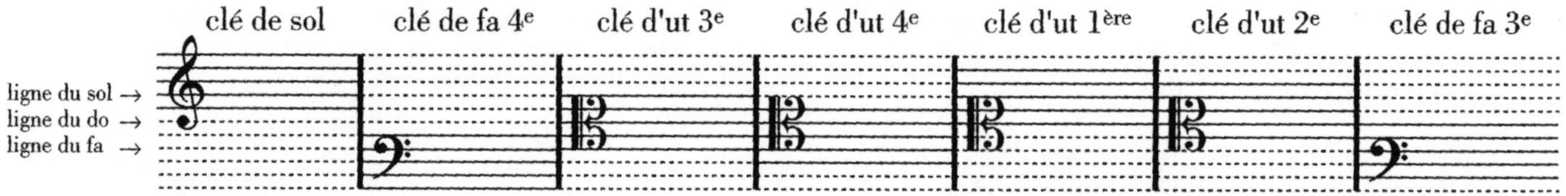

clé de sol | clé de fa 4e | clé d'ut 3e | clé d'ut 4e | clé d'ut 1ère | clé d'ut 2e | clé de fa 3e

ligne du sol →
ligne du do →
ligne du fa →

La **portée de cinq lignes** utilisée dans la notation musicale moderne n'est qu'un fragment de cette portée générale de onze lignes sur laquelle il eût été difficile de lire, d'autant que les voix (comme la plupart des instruments) n'emploient qu'une partie de son étendue totale.

La **clé de sol** sert à noter les sons du **registre aigu.**

Les **clés d'ut** servent à noter les sons du **registre médium.**

La **clé de fa** sert à noter les sons du **registre grave.**

La clé de sol couvre l'étendue des cinq lignes supérieures de la portée de onze lignes et se trouve donc placée sur la deuxième ligne de la portée de cinq lignes.

La clé de fa couvre l'étendue des cinq lignes inférieures de la portée de onze lignes et est placée sur la quatrième ligne de la portée de cinq lignes[1].

Bien que fixe dans la portée de onze lignes (parce que toujours placée sur la sixième ligne), la clé d'ut peut être située sur une des quatre premières lignes de la portée de cinq lignes. Ainsi, selon la position choisie, c'est une portion différente de la portée de onze lignes qui se trouve sélectionnée.

La ligne du do des clés d'ut correspond à la ligne supplémentaire supérieure de la clé de fa ou à la ligne supplémentaire inférieure de la clé de sol.

[1] Il existe une clé de fa placée sur la troisième ligne dont l'usage est réservé à la lecture de certaines parties de basse dans la musique ancienne ainsi que pour la lecture des instruments transpositeurs en sol.

Précision

Seule la place de la note sur la portée détermine son nom. En conséquence, il faudra distinguer les notes **sur les lignes** de celles écrites **dans les interlignes.**

On étudiera d'abord les notes **sur les lignes.**

On commencera à travailler l'exercice n°1 (page 13) en disant[1] :

exemple en **clé de sol :**
« *Ligne 1 : mi* »
« *Ligne 2 : sol* »
« *Ligne 3 : si* » etc.

exemple en **clé d'ut 3e :**
« *Ligne 1 : fa* »
« *Ligne 2 : la* »
« *Ligne 3 : do* » etc.

exemple en **clé d'ut 1ère :**
« *Ligne 1 : do* »
« *Ligne 2 : mi* »
« *Ligne 3 : sol* » etc.

exemple en **clé de fa 4e :**
« *Ligne 1 : sol* »
« *Ligne 2 : si* »
« *Ligne 3 : ré* » etc.

exemple en **clé d'ut 4e :**
« *Ligne 1 : ré* »
« *Ligne 2 : fa* »
« *Ligne 3 : la* » etc.

exemple en **clé d'ut 2e :**
« *Ligne 1 : la* »
« *Ligne 2 : do* »
« *Ligne 3 : mi* » etc.

exemple en **clé de fa 3e :**
« *Ligne 1 : si* »
« *Ligne 2 : ré* »
« *Ligne 3 : fa* » etc.

Lorsque cet exercice aura été lu plusieurs fois de cette manière et qu'il n'y aura plus d'hésitations, on le reprendra en disant simplement le nom de chaque note : par exemple en **clé de sol** « *mi, sol, si, mi, sol* » etc. Il faudra travailler de la même manière les exercices suivants jusqu'au n°6.

[1] Les exercices des 1ère et 3e parties pouvant servir à l'étude des notes dans toutes les clés, nous avons pensé qu'il était préférable de n'en faire figurer aucune. On pourra les écrire soi-même si nécessaire.

On étudiera ensuite les notes **dans les interlignes.**

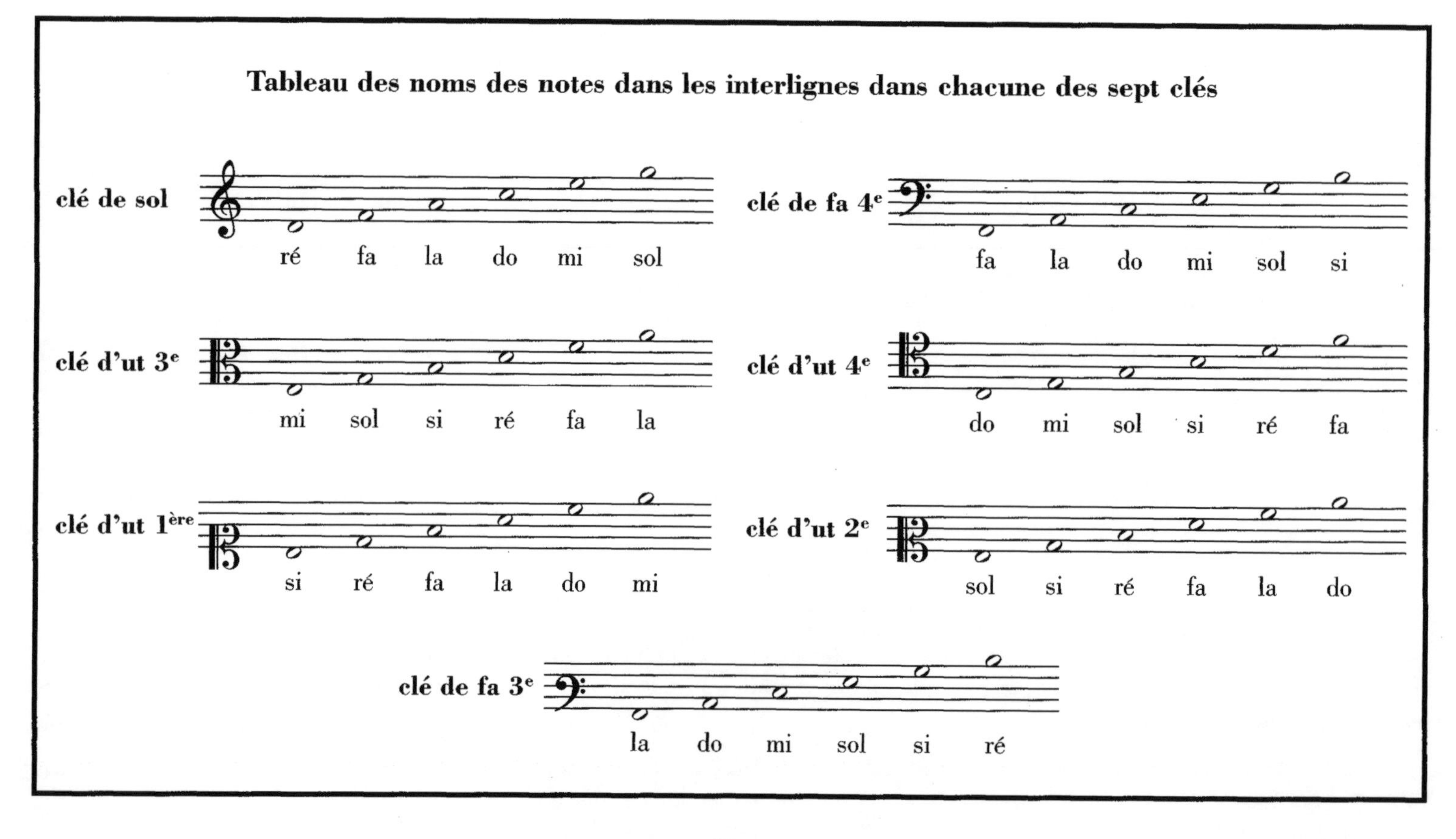

Pour les notes placées **dans les interlignes** à partir de l'exercice n°7 (page 14), on dira :

exemple en **clé de sol :**
« *entre 1 et 2 : fa* »
« *entre 2 et 3 : la* »
« *entre 3 et 4 : do* » etc.

exemple en **clé d'ut 3ᵉ :**
« *entre 1 et 2 : sol* »
« *entre 2 et 3 : si* »
« *entre 3 et 4 : ré* » etc.

exemple en **clé d'ut 1ère :**
« *entre 1 et 2 : ré* »
« *entre 2 et 3 : fa* »
« *entre 3 et 4 : la* » etc.

exemple en **clé de fa 4ᵉ :**
« *entre 1 et 2 : la* »
« *entre 2 et 3 : do* »
« *entre 3 et 4 : mi* » etc.

exemple en **clé d'ut 4ᵉ :**
« *entre 1 et 2 : mi* »
« *entre 2 et 3 : sol* »
« *entre 3 et 4 : si* » etc.

exemple en **clé d'ut 2ᵉ :**
« *entre 1 et 2 : si* »
« *entre 2 et 3 : ré* »
« *entre 3 et 4 : fa* » etc.

exemple en **clé de fa 3ᵉ :**
« *entre 1 et 2 : do* »
« *entre 2 et 3 : mi* »
« *entre 3 et 4 : sol* » etc.

Lorsque cet exercice aura été lu plusieurs fois de cette manière et qu'il n'y aura plus d'hésitations, on le reprendra en disant simplement le nom de chaque note : par exemple **en clé de sol** « *fa, la, do, la, fa* » etc. Il faudra travailler de la même manière les exercices suivants jusqu'au n°11

Rapidité

Dès qu'on commencera à lire à peu près régulièrement quelques exercices, on devra les retravailler au métronome pendant qu'on préparera le groupe d'exercices suivants :

exemple : lire les exercices n°1, 2, 3 une note par temps au métronome à 50, pendant qu'on préparera les n°4, 5, 6 etc...

Puis, par la suite, appliquer les progressions de vitesse suivantes :

1	note par temps	métronome	à 50
2	notes par temps	métronome	à 50
3	-	-	à 50
4	-	-	à 50
4	-	-	à 60
4	-	-	à 72
6	-	-	à 50
6	-	-	à 60
4	-	-	à 100
6	-	-	à 80

1. SUR LES LIGNES

N.B. Aussitôt qu'on pourra lire horizontalement les exercices n°1 à 6 à la vitesse deux notes par temps au métronome, on pourra commencer à étudier la lecture verticale de la 3e partie. Ainsi les exercices n°1, 2, 3, 4 (2 notes), n°18, 19, 20, 21 (3 notes), n°31 (4 notes) pourront être lus après l'exercice n°6 de la 1ère partie.

2. DANS LES INTERLIGNES

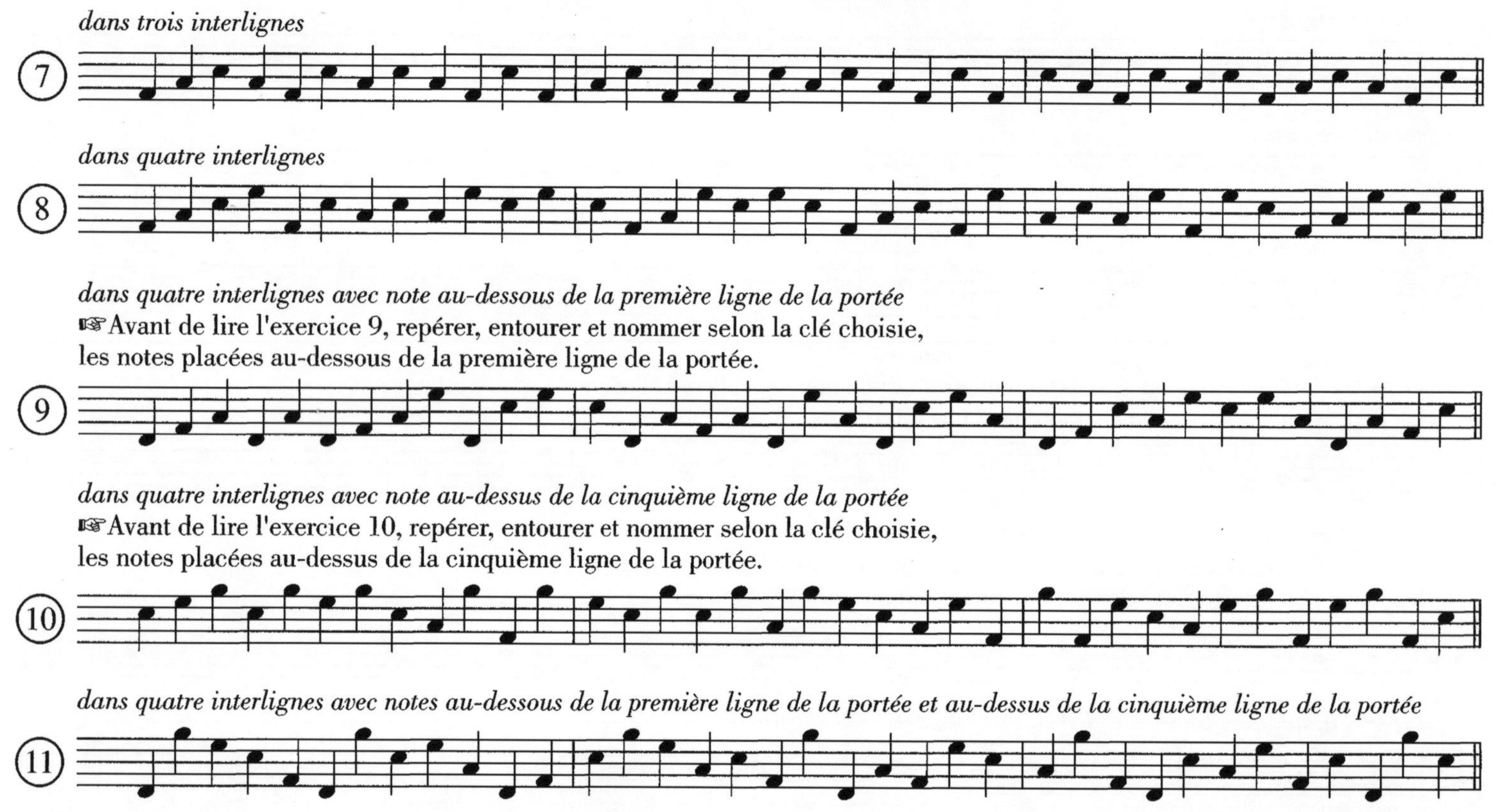

N.B. Aussitôt qu'on pourra lire horizontalement les exercices n°7 à 11 à la vitesse deux notes par temps au métronome, on pourra continuer à étudier la lecture verticale de la 3e partie. Ainsi les exercices n°5, 6, 7, 8 (2 notes), n°22, 23, 24, 25 (3 notes), n°32 (4 notes) pourront être lus après l'exercice n°11 de la 1ère partie.

3. MÉLANGE LIGNES ET INTERLIGNES

À partir de l'exercice n°12 jusqu'à l'exercice n°18ter inclus, on n'aura plus besoin, en principe, d'énoncer la situation de la note, on la nommera directement. On ne reviendra à ce procédé que si l'on connaît quelques difficultés sur un exercice particulier et à partir de l'étude des lignes supplémentaires (n°19), pour les exercices contenant une note nouvelle.

Chacun des exercices ci-dessous (n°12 à 40) seront lus en appliquant la même progression de vitesse employée lors de l'étude des notes sur les lignes et dans les interlignes.

N.B. À partir de l'exercice n°15, on sera en mesure d'étudier les exercices de lecture verticale de la 3e partie non encore travaillés (n° 9 à 17, 26 à 30, puis 33 à 40).

16 bis

17

17 bis

18

4. LIGNES SUPPLÉMENTAIRES

deuxième ligne supplémentaire supérieure

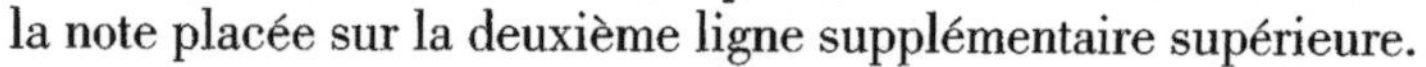

☞Avant de lire l'exercice 19, repérer, entourer et nommer selon la clé choisie, la note placée sur la deuxième ligne supplémentaire supérieure.

notes au-dessus et au-dessous des premières lignes supplémentaires supérieure et inférieure

☞Avant de lire l'exercice 21, repérer, entourer et nommer selon la clé choisie, les notes au-dessus et au-dessous des premières lignes supplémentaires supérieure et inférieure.

Remarque : les notes au-dessus et au-dessous des premières lignes supplémentaires supérieure et inférieure présentent la particularité de porter toujours le même nom, quelque soit la clé choisie.

deuxième ligne supplémentaire inférieure

☞Avant de lire l'exercice 24, repérer, entourer et nommer selon la clé choisie, la note placée sur la deuxième ligne supplémentaire inférieure.

troisième ligne supplémentaire supérieure

☞Avant de lire l'exercices 26, repérer, entourer et nommer selon la clé choisie,
la note placée sur la troisième ligne supplémentaire supérieure.

note au-dessus de la deuxième ligne supplémentaire supérieure

☞Avant de lire l'exercice 28, repérer, entourer et nommer selon la clé choisie,
la note placée au-dessus de la deuxième ligne supplémentaire supérieure.

note au-dessous de la deuxième ligne supplémentaire inférieure

☞Avant de lire l'exercice 30, repérer, entourer et nommer selon la clé choisie, la note placée au-dessous de la deuxième ligne supplémentaire inférieure.

exercices de synthèse

quatrième ligne supplémentaire supérieure

☞Avant de lire l'exercice 35, repérer, entourer et nommer selon la clé choisie, la note placée sur la quatrième ligne supplémentaire supérieure.

note placée au-dessus de la troisième ligne supplémentaire supérieure
☞Avant de lire l'exercice 36, repérer, entourer et nommer selon la clé choisie,
la note placée au-dessus de la troisième ligne supplémentaire supérieure.
36
mélange quatrième ligne supplémentaire supérieure et note placée au-dessus de la troisième ligne supplémentaire supérieure
37
troisième ligne supplémentaire inférieure
☞Avant de lire l'exercice 38, repérer, entourer et nommer selon la clé choisie,
la note placée sur la troisième ligne supplémentaire inférieure.
38
note placée au-dessous de la troisième ligne supplémentaire inférieure
☞Avant de lire l'exercice 39, repérer, entourer et nommer selon la clé choisie,
la note placée au-dessous de la troisième ligne supplémentaire inférieure.
39
mélange troisième ligne supplémentaire inférieure et note placée au-dessous de la troisième ligne supplémentaire inférieure
40

2e partie
LECTURE SIMULTANÉE DE LA CLÉ DE SOL ET DE LA CLÉ DE FA

Simultanéité

Ces exercices devront être lus de la manière suivante : une note en clé de fa, une note en clé de sol (ex. n°1 « *do-do, do-mi, do-sol, do-mi* » etc.). Les progressions métronomiques seront sensiblement les mêmes que pour la 1ère partie, mais il ne faudra naturellement pas lire par groupe de trois notes. Il sera donc prudent de lire des groupes de deux notes jusqu'au métronome 100 avant de lire 4 notes au métronome 50.

Lorsqu'un exercice aura été lu correctement, on pourra le reprendre en le jouant au piano. On apprendra ainsi à situer sur le clavier, à leur place exacte, les notes qui constituent la plus grande partie de l'échelle musicale.

Bien que ces exercices soient très simples, ils nécessitent quelques notions préliminaires pour pouvoir être réalisés correctement. La vitesse de cette réalisation au clavier sera moindre que celle que nous préconisons pour la lecture. Certains de ces exercices ne doivent pas être joués au piano (le doigté en serait trop compliqué) ; nous les avons toujours indiqués.

1. ÉTUDE DES NOTES COMPRISES ENTRE DO ET SOL EN CLÉ DE SOL ET EN CLÉ DE FA ET À DIFFÉRENTES OCTAVES

(Exercices 1 à 15)

a) ***sur 3 notes***

2

3

4

5

b) ***sur 5 notes***

9

10

11

12

c) *récapitulation* (Cet exercice ainsi que les deux suivants ne doivent pas être joués au piano)

2. ÉTUDE DES NOTES COMPRISES ENTRE SOL ET RÉ EN CLÉ DE SOL ET EN CLÉ DE FA ET À DIFFÉRENTES OCTAVES

(Exercices 16 à 30)

a) ***sur 3 notes***

18

19

20

b) ***sur 5 notes***

23
24

25
26

c) ***récapitulation*** (Cet exercice ainsi que les deux suivants ne doivent pas être joués au piano)

29

30

3. ÉTUDE DES NOTES GRAVES ET AIGUËS EN CLÉ DE FA

(Exercices 31 à 38)

a) *étude des notes graves de la clé de fa*

troisième ligne supplémentaire inférieure

note placée au-dessous de la troisième ligne supplémentaire inférieure

synthèse des notes graves de la clé de fa
34
b) étude des notes aiguës de la clé de fa
deuxième ligne supplémentaire supérieure
35
note placée au-dessus de la deuxième ligne supplémentaire supérieure
36
troisième ligne supplémentaire supérieure
37

c) ***récapitulation générale*** (Cet exercice ne doit pas être joué au piano)

38

3e partie
LECTURE VERTICALE

1. DEUX NOTES

Lorsqu'on aura lu l'exercice n°9, sur les secondes, on pourra reprendre un des exercices de la première partie en indiquant la note formant seconde avec chacune des notes écrites.

Exemple : n°16, 1ère partie (page 16). On dira (en clé de sol) « *do-ré, mi-fa, ré-mi* » etc. Le même procédé pourra s'appliquer pour l'étude des intervalles de tierces, quartes, quintes, sixtes, septièmes et octaves travaillés dans les exercices ci-dessous.

Dans les exercices portant la mention « mélange » n°12, 16 et 18, on devra se borner à indiquer à haute voix le nom de l'intervalle.

Exemple : n°12 (page 42) : voyant (en clé de sol) do-mi, on dira « *tierce* »; voyant sol-do, on dira « *quarte* »; voyant fa-sol, on dira « *seconde* ».

tierces

quartes

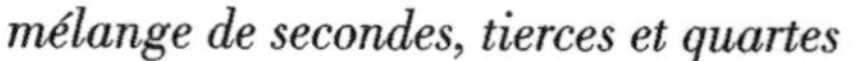
mélange de secondes, tierces et quartes

quintes

sixtes

septièmes

mélange de tierces, quartes, quintes, sixtes et septièmes

octaves

16 bis

secondes, tierces, quartes, quintes, sixtes, septièmes et octaves

17

2. TROIS NOTES

a) *sur les lignes*

tierce + tierce

18

tierce + quinte

19

quinte + tierce

20

Lorsqu'on aura lu l'exercice n°26, on pourra reprendre un des exercices de la première partie en indiquant les notes formant un accord parfait avec chacune des notes écrites.

Exemple : n°16, 1ère partie (page 16). On dira (en clé de sol) « *do-mi-sol, mi-sol-si, ré-fa-la* » etc. Le même procédé pourra s'appliquer pour l'étude des accords de sixte et des accords de quarte et sixte dans les exercices ci-dessous.

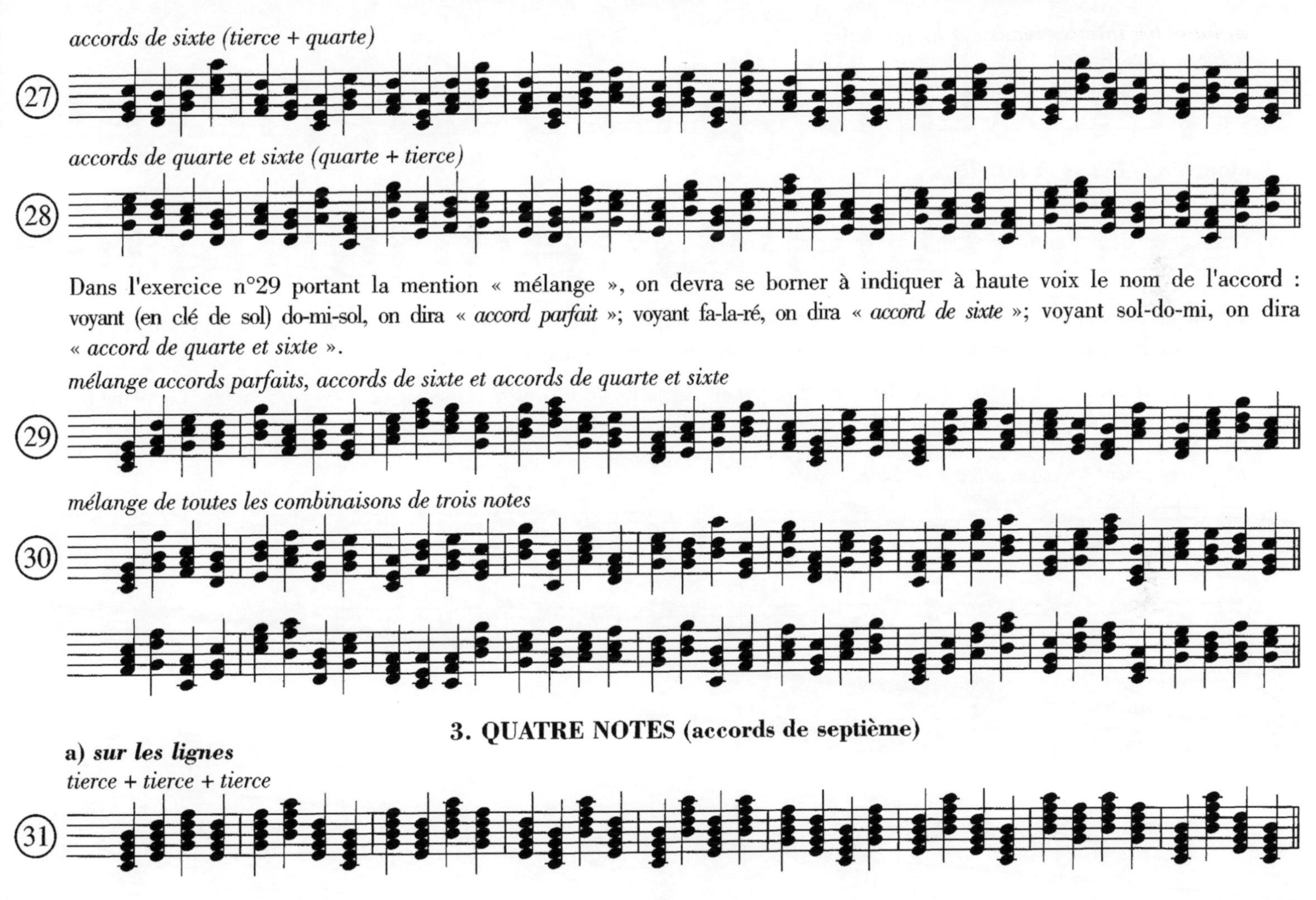

accords de sixte (tierce + quarte)

(27)

accords de quarte et sixte (quarte + tierce)

(28)

Dans l'exercice n°29 portant la mention « mélange », on devra se borner à indiquer à haute voix le nom de l'accord : voyant (en clé de sol) do-mi-sol, on dira « *accord parfait* »; voyant fa-la-ré, on dira « *accord de sixte* »; voyant sol-do-mi, on dira « *accord de quarte et sixte* ».

mélange accords parfaits, accords de sixte et accords de quarte et sixte

(29)

mélange de toutes les combinaisons de trois notes

(30)

3. QUATRE NOTES (accords de septième)

a) *sur les lignes*

tierce + tierce + tierce

(31)

b) *dans les interlignes*

tierce + tierce + tierce

c) *mélange lignes et interlignes*

tierce + tierce + tierce

Lorsqu'on aura lu l'exercice n°33, sur les accords de septième, on pourra reprendre un des exercices de la première partie en indiquant les notes formant un accord de septième avec chacune des notes écrites.

Exemple : n°16, 1ère partie (page 16). On dira (en clé de sol) « *do-mi-sol-si, mi-sol-si-ré, ré-fa-la-do* » etc. Le même procédé pourra s'appliquer pour l'étude des renversements dans les exercices ci-dessous.

1er renversement (tierce + tierce + seconde)

2e renversement (tierce + seconde + tierce)

3e renversement (seconde + tierce + tierce)

Dans l'exercice n°37 portant la mention « mélange », on devra se borner à indiquer à haute voix le nom de l'accord : voyant (en clé de sol) do-mi-sol-si, on dira « *accord de septième, position fondamentale* »; voyant la-do-ré-fa, on dira « *accord de septième 2e renversement* »; voyant mi-sol-si-ré, on dira « *accord de septième, position fondamentale* »; voyant fa-sol-si-ré, on dira « *accord de septième 3e renversement* »; voyant do-mi-sol-la, on dira « *accord de septième 1er renversement* ».

mélange d'accords de septième (position fondamentale et renversements)

accords de trois sons avec une note doublée

mélange des accords de quatre sons
39
mélange général de tous les accords et intervalles
40